EJERCICIOS DE LÉXICO

NIVEL AVANZADO

EJERCICIOS DE LÉXICO

NIVEL AVANZADO

Pablo Martínez Menéndez

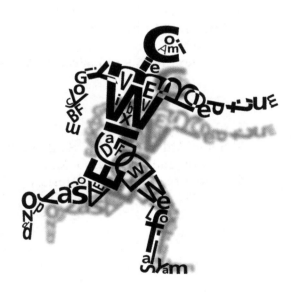

ANAYA ñ ELE

Equipo de la Universidad de Alcalá
Dirección de la colección: María Ángeles Álvarez Martínez

Programación: María Ángeles Álvarez Martínez
              Ana Blanco Canales
              María Jesús Torrens Álvarez

Autor: Pablo Martínez Menéndez

© Del texto: Alcalingua, S. R. L., Universidad de Alcalá, 2001
© De los dibujos: Grupo Anaya, S. A., 2001
© De esta edición: Grupo Anaya, S. A., 2001
                    Juan Ignacio Luca de Tena, 15 - 28027 Madrid

Depósito legal: M-4.526-2008
ISBN: 978-84-667-0065-8
Printed in Spain
Imprime: Huertas Industrias Gráficas, S. A.

Equipo editorial
Edición: Milagros Bodas, Sonia de Pedro
Cubierta: Taller Universo: M. A. Pacheco, J. Serrano
Diseño y realización de interiores: JV, Diseño Gráfico, S. L.

Se incluyen en los materiales complementarios del método SUEÑA, diseñado para la enseñanza del español a extranjeros desde el Nivel Inicial hasta el Nivel Superior, estos *Ejercicios de léxico* –dentro de la colección **PRACTICA**–, obra concebida como material de refuerzo en el aula, pero que, además, puede servir como libro de autoaprendizaje, con independencia del método SUEÑA.

Este libro se compone de sesenta y ocho ejercicios que se corresponden con el Nivel Avanzado. El orden de los ejercicios se ha establecido por el grado de dificultad. Los diez últimos sirven de transición al Nivel Superior. Al final del libro aparecen las soluciones.

Índice

EJERCICIOS DE LÉXICO

Completa las oraciones con las siguientes palabras.

[cantimplora, planeta, cemento, canguro, sucursal, calvicie]

a) Como querían ir al cine llamaron a una .... para que cuidase a los niños.

b) Venus es un .... del sistema solar.

c) Este banco abrirá una .... en nuestra calle.

d) Tiene una .... de campeonato; no le queda ni un pelo en la cabeza.

e) Tenía sed, pero en la .... no quedaba agua.

f) Tiene la cara más dura que el ....

2 **Sustituye las palabras en negrita por uno de los verbos de la lista en su tiempo verbal correspondiente.**

[suponer, chillar, celebrar, conceder, prometer, omitir]

a) Le **otorgaron** el Premio Nobel de Literatura.

b) No hace falta que me **grites;** no estoy sordo.

c) **Me alegro de** que hayas venido.

d) **Suprimieron** los nombres de los acusados.

e) **Juró** que no volvería a hacerlo.

f) La paternidad **implica** una mayor responsabilidad.

3

Elige el verbo más apropiado y ponlo en presente de indicativo.

a) Juan .... poco cabello. (*poseer / disponer de / tener*)

b) Es Pedro quien .... la economía familiar, pues es el único que cobra un sueldo. (*padecer / aguantar / soportar*)

c) A Luis le .... tener que pedir permiso a sus padres. (*enfadar / estropear / fastidiar*)

d) El boxeador .... el golpe a su rival. (*restituir / vomitar / devolver*)

e) El pastelero .... la nata para preparar la tarta. (*engarzar / organizar / montar*)

f) Un buen amigo .... su peso en oro. (*costar / valer / merecer*)

4

Sustituye el verbo *dejar* por el más adecuado en cada caso.

[abandonar, olvidarse, parar, prestar, permitir]

a) Le **he dejado** un paraguas para que no se moje.

....

b) **Dejó** su pueblo una fría tarde de enero.

....

c) Hace una hora que **ha dejado** de llover.

....

d) No nos **dejan** salir de casa sin su permiso.

....

e) Juan **se dejó** el paraguas en el taxi.

....

 Cada oveja con su pareja. Relaciona los elementos de las dos columnas y forma los refranes.

A perro flaco   no le mires el diente

Quien a hierro mata   que fuerza

De tal palo   todo son pulgas

Más vale maña   que curar

A caballo regalado   a hierro muere

Más vale prevenir   tal astilla

 Elimina los prefijos que aparecen en las siguientes oraciones siempre que sea posible.

a) Siempre que me encuentro en este lugar desierto me domina una desagradable sensación de desasosiego y desesperanza.

b) El ingeniero era famoso por su impaciencia.

c) Parece que te gustan las canciones arrítmicas y desacompasadas.

d) Después de la desabrida cena se tomó un descafeinado.

e) La sartén estaba hecha con un material antiadherente, pero fue recibida con desagrado.

f) Sentía una gran intranquilidad en aquel desfiladero desértico.

7   Señala cuál es el significado más adecuado de la palabra *mate* en cada oración.

a) El **mate** tiene un sabor desagradable. ( )

b) Jordan ganó el concurso de **mates.** ( )

c) La pintura tenía un tono **mate.** ( )

d) Luis suspendió el examen de **mates.** ( )

e) Su vida es **mate;** nunca le sucede nada interesante. ( )

f) Con el movimiento del alfil negro consiguió el **mate.** ( )

1. La victoria en el juego del ajedrez.
2. Sin brillo.
3. En baloncesto, canastas espectaculares.
4. Matemáticas.
5. Bebida que se prepara hirviendo en agua las hojas secas y tostadas de una planta de América.
6. Insulsa.

8   Cambia el sustantivo *médico* por un término más exacto de acuerdo con el sentido de la frase.

EJEMPLO: *El médico le examinó los ojos. El **oculista** le examinó los ojos.*

a) Acudió al **médico** porque tenía problemas de arritmia.

....

b) Se rompió un hueso y tuvo que visitar al **médico.**

....

c) La madre llevo al niño al **médico.**

....

d) El **médico** le explicó a la mujer que no podría tener hijos.

....

e) El **médico** le extrajo una muela al abogado.

....

f) Le dolía un oído y tuvo que acudir al **médico.**

....

9 **Empareja las palabras que perternecen al mismo campo semántico.**

ironía	contertulio
templo	pariente
enfadarse	médico
cuñado	sarcástico
charla	sagrado
diagnóstico	cabreado

10 **Corrige las siguientes frases hechas.**

a) A buenas horas mangas rojas.

....

b) Fue cocinero antes que cura.

....

c) Cada mochuelo a su árbol.

....

d) Se les deshace la boca agua.

....

e) Más sabe el diablo por diablo que por viejo.

....

f) Cada vela que aguante su palo.

....

11 ¿De qué se trata?

a) Se forma de madera y espuma pero con ninguno de estos dos materiales.

....

b) Si se me oye mucho no se puede oír nada.

....

c) Pese a mi nombre la gente no se sienta sobre mí, y prefiere otros muebles como sillas o sofás.

....

d) Aunque no me pregunten siempre contesto salvo cuando hay silencio.

....

e) Soy la ropa favorita de las gambas.

....

12 Escribe las palabras a las que se refieren las definiciones.

a) Parte de un río con fondo firme y poco profundo, por donde se puede pasar andando o en un vehículo.

....

b) Elevación del terreno de la que salen gases y materiales que proceden del interior de la Tierra.

....

c) Dibujo que se hace antes de pintar un cuadro y que sirve para indicar cómo se va a hacer y cuál va a ser el resultado.

....

d) Pieza de metal que cuelga a ambos lados de la silla de montar y en la que se apoya el pie.

....

e) Corte del terreno vertical y profundo.

....

f) Línea de piedra que se coloca al borde de la acera.

....

13 Escribe las palabras a las que se refieren las definiciones ayudándote de la siguiente lista, en la que aparecen las tres primeras letras de cada una de las palabras.

[ACU, FAC, SAN, CON, POR, VAJ]

a) Pintura que se hace sobre papel o cartón con colores disueltos en agua.

....

b) Barro fino, cocido y barnizado, que se usa para hacer objetos de adorno.

....

c) Cuenta en la que se detallan las mercancías compradas o los servicios recibidos y la cantidad de dinero que se pide por ellos.

....

d) Calzado formado por una suela que se asegura al pie con correas o cuerdas.

....

e) Edificio en el que vive una comunidad de religiosos bajo unas reglas.

....

f) Conjunto de objetos que sirven para el servicio de la mesa.

....

14 Completa las oraciones con nombres de accidentes geográficos.

a) El río Ebro recibe agua de numerosos ....

b) Es increíble la cantidad de lava que puede llegar a expulsar un ....

c) Esa cordillera está formada por unas .... altísimas.

d) España y Portugal constituyen una ....

e) Prefieren bañarse en un .... antes que en el mar porque, al estar cerrado, es más seguro... salvo que aparezca un monstruo.

f) Toda el agua salada de la superficie de la Tierra se divide en cinco ....

15 Selecciona los adjetivos más apropiados para completar las oraciones.

áspero, blanquecino, cadencioso, celeste, estridente, delicioso, desértico, despejado, doloroso, dulce, escarpado, experto, llano, picante, recóndito, soso, verdoso

a) Lo mejor de esta música es su .... ritmo.

b) Vayamos a cenar a un restaurante mexicano; me gusta la comida ....

c) A ese .... lugar no llega ningún tipo de información.

d) Después del parto la madre tenía el rostro ....

e) No pude subir a la cima porque el terreno era demasiado
....

f) Creo que no le has echado sal, porque me sabe ....

 Crucigrama.

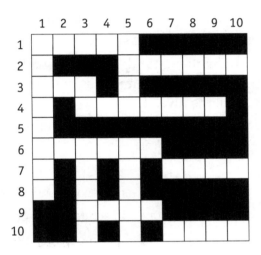

Horizontales:

1. Sensación molesta y desagradable de una parte del cuerpo causada por una herida o una enfermedad. 2. Persona que se dedica a hacer un trabajo físico. 3. Sustancia blanca, en forma de cristal, fácilmente soluble en agua, que se usa para dar sabor a los alimentos. 4. Persona que ha estudiado derecho, que da consejo en temas legales y que representa a las partes afectadas en los juicios. 6. Planta con muchas ramas largas, delgadas y flexibles, con hojas pequeñas y escasas y flores amarillas. 7. Elección entre varias posibilidades, generalmente de carácter político. 9. Materia fundida que sale de un volcán y que, cuando se enfría, se hace sólida y dura. 10. Extensión de tierra que está rodeada de agua por todas partes.

Verticales:

1. Extensión de tierra no poblada porque hace mucho calor o mucho frío y no se pueden cultivar plantas ni criar animales. 3. Forma del artículo en género femenino y número singular. Pieza de madera plana, más larga que ancha, poco gruesa y cuyas caras son paralelas entre sí. 5. Del color de la sangre. De color morado claro, parecido al rosa.

17 Relaciona las oraciones con el refrán correspondiente.

a) El muchacho es tan inteligente como su padre. **( )**

b) Además de no tener trabajo le han robado todos sus ahorros. **( )**

c) Se ha puesto unas gafas para parecer un intelectual, pero sigue siendo muy burro. **( )**

d) Aunque le ofrecieron un trabajo con buenas perspectivas prefirió seguir en el suyo con su escaso sueldo. **( )**

e) El entrenador del equipo ganador consideró el torneo como el mejor de la historia, mientras que su rival dijo que no había habido el suficiente nivel. **( )**

f) Luis ya tenía demasiados problemas como para ocuparse de los de Juan. **( )**

> **1.** Más vale lo malo conocido que lo bueno por conocer.
> **2.** A perro flaco todo son pulgas.
> **3.** Todos hablan de la feria según les va en ella.
> **4.** Cada palo que aguante su vela.
> **5.** Aunque la mona se vista de seda, mona se queda.
> **6.** De tal palo tal astilla.

18 Completa las frases.

a) No sé cómo puede ser tan .... como para estar todo el día delante del espejo.

b) Me temo que este cuadro no es el .... sino una copia.

c) Date prisa, que eres más .... que el crecimiento de una lechuga.

d) Todos queríamos probar aquel plato tan ....

e) Si necesitas ayuda lo haré muy ....

f) Para echar la sopa necesitamos un plato ...., pues uno llano no nos vale.

19 Ordena las letras de las palabras en negrita.

a) Nunca había estado en una **añadca.**

....

b) Se nos estropeó la **mosirerpa.**

....

c) Te saldrá más barato si te compras un **súobbon.**

....

d) Ten cuidado con el **brildolo.**

....

e) No se atrevieron a tomar la salsa porque tenía un tono **rodoves.**

....

f) El Miño no es **natulefe** del río Duero.

....

20 Completa las oraciones con las palabras de la lista.

[sandalias, cacerolas, rotondas, acuarelas, rebecas, cazuelas]

a) Se compró una caja de .... y se le olvidaron los pinceles.

b) Harás el ridículo si vas a una fiesta elegante con esas ....

c) Las .... se empezaron a llamar así por el título de una película.

d) Dejó el trabajo de cocinero: no se veía todo el día entre ....

e) Siento mucho que se hayan roto las .... de barro.

f) En las .... de esta ciudad el alcalde ha puesto fuentes.

21

Sustituye las definiciones por la palabra a la que se refieren.

a) Los fines de semana suele divertirse con su **aparato sin motor, muy ligero, compuesto de una tela con forma de triángulo y una estructura a la que se sujeta el que lo maneja y que sirve para volar.**

....

b) A su abuela le apasiona hacer **labor a mano que consiste en tejer el hilo con una aguja fuerte, de unos veinte centímetros de largo, que tiene un extremo más delgado y acabado en un gancho.**

....

c) Se quiere comprar un **vehículo tirado por otro.**

....

d) Cuando hace sol salimos al **terreno, generalmente al aire libre, en el que se cultivan plantas y flores para hacerlo agradable.**

....

e) Su padre fue un buen alcalde y por eso la ciudad le levantó una **obra de escultura que representa una figura humana o animal, o que tiene carácter simbólico.**

....

f) Por su cumpleaños le han regalado una **prenda de vestir larga, con mangas y con botones por delante, que se usa en casa para estar cómodo o para el trabajo profesional en un taller, un hospital, un laboratorio u otros lugares.**

....

22 Sustituye las definiciones por la palabra a la que se refieren teniendo en cuenta que la definición no es la adecuada para ese contexto.

a) Esa señora vive sola y sólo tiene para hacerle compañía un **(instrumento que sirve para levantar grandes pesos a poca altura)** ....

b) No le cuentes chistes porque no tiene **(líquido de los cuerpos de los seres vivos)** ....

c) Le gusta mucho el zumo de **(espacio, generalmente cuadrado, limitado por calles y destinado a la construcción de edificios)** ....

d) No podía utilizar el coche, pues tenía estropeado un **(persona que conduce o gobierna un vehículo)** ....

e) Fueron a buscar al **(tratamiento a que se somete a un enfermo para que mejore)** .... a la iglesia.

23 Agrupa las siguientes palabras en cuatro grupos semánticos.

> faros, pañoleta, suéter, anorak, capó, chal, crucigramas, chanclas, damero maldito, zapatillas, jersey, pañuelo, sandalias, volante, bufanda

24 Elimina la palabra inadecuada en cada caso.

a) Era muy pobre, pero ahora es *(sabroso / rico / adinerado)*.

b) El policía llevaba una *(insignia / placa / matrícula)*.

c) Los coches llevaban detrás *(remolques / ramblas / caravanas)*.

d) Se compró un plato de *(cerámica / poliéster / porcelana)*.

e) Había platos y vasos colocados en *(estantes / baldas / baladas)*.

f) Esta bombilla la puedes poner en una *(lámpara / vela / flexo)* para iluminar la habitación.

25 Utiliza la palabra *pico* en las oraciones siguientes haciendo las transformaciones necesarias.

a) Se golpeó en el labio con la parte que sobresalía del mueble.

....

b) Después de la bronca que le cayó no abrió la boca.

....

c) Nos robaron tres mil pesetas y algunas monedas.

....

d) Es un montañista experto: ha subido a todas las cumbres de la zona.

....

e) Con la aguja de la jeringuilla se metió una dosis de droga.

....

f) Tiene una facilidad para hablar que lo convierte en un vendedor extraordinario.

....

26 Utiliza el adjetivo apropiado para describir el sabor de cada alimento.

a) café: ....

b) azúcar: ....

c) pescado: ....

d) naranja: ....

e) pan sin sal: ....

f) leche cortada: ....

---

27 Completa las oraciones sabiendo que en cada pareja falta la misma palabra, pero con distintos significados.

a) No tenía .... para colgar la ropa.

El cangrejo me pellizcó con sus ....

b) Tenían a diez mujeres trabajando en la plantación de ....

Como sangraba por la nariz se puso un ....

c) Se pinchó con la ....

El tocadiscos no podía funcionar sin ....

d) En la televisión vi una película de indios y ....

No le gusta ese tipo de pantalones; prefiere los ....

e) No pudimos oír el .... meteorológico.

Con esa pinta no vas a ninguna ....

f) Había un taxi en el .... entre tu calle y la mía.

El mulo es el .... entre un caballo y un burro.

---

28 Busca seis palabras relacionadas con la informática.

I	H	P	F	E	R	G	B	N	A	H	A
E	N	R	T	Y	A	J	O	Y	U	I	R
N	I	F	U	N	I	F	A	M	I	Y	O
P	L	I	O	N	D	U	E	N	T	R	S
D	A	C	Z	R	A	T	O	N	A	I	E
G	E	D	T	U	M	R	A	D	O	S	R
T	E	E	N	E	R	A	I	C	O	M	P
R	P	T	E	N	R	E	T	N	I	E	M
A	T	U	O	W	E	O	R	I	R	T	I
Ñ	T	T	Z	S	T	B	C	M	C	N	E
A	D	I	S	C	O	D	U	R	O	O	G
S	E	C	K	U	I	D	A	T	N	E	R

¿Cuál de las siguientes definiciones corresponde a la palabra *arenga*?

a) Pez marino comestible de color azul por encima y plateado por el vientre.

b) Corrección o llamada de atención dura y violenta a una persona por un error o por su mal comportamiento.

c) Parte de la casa árabe donde viven las mujeres.

d) Discurso que se pronuncia para levantar el ánimo de los que lo escuchan.

e) Discurso de contenido moral pronunciado en público por un sacerdote.

f) Conversación sobre un asunto para llegar a un acuerdo.

 Indica cuáles de las siguientes palabras tienen alguna relación con el agua.

> aguja, anorak, acuarela, arroyo, bahía, billetera, bufanda, camiseta, carpintero, cómoda, convento, cuchillo, fuente, isla, jersey, lago, lectura, océano, pañuelo, playa, puenting, semáforo, zapatillas

31 **Restituye a su forma original los siguientes refranes y modismos que han sido ligeramente modificados.**

a) De lo que se dice a lo que se hace hay una distancia grande.

....

b) Fue carnicero antes que cura.

....

c) Se dice el pescado, pero no el pescador.

....

d) No es para echar las trompetas al viento.

....

e) Más vale ave de pequeño tamaño en la parte del cuerpo comprendida entre la muñeca y la punta de los dedos, que un centenar de sus congéneres moviéndose por el cielo.

....

f) Más vale tener cabeza de ratón que cola de león.

....

32 Sustituye las definiciones por las palabras a que se refieren.

a) En el **(punto o lugar donde se juntan dos o más cosas, especialmente carreteras o caminos)** .... había un **(aparato con luces, generalmente de color rojo, amarillo y verde, que sirve para regular el tráfico en las vías públicas)** .... estropeado.

b) La **(persona que se dedica a prestar atención a los pasajeros en un avión o un tren)** .... se quemó con la **(máquina o aparato que sirve para preparar café)** ....

c) Tu **(instrumento con un mango y un pequeño recipiente ovalado que se usa para comer)** .... de madera está en el mismo cajón que mi **(instrumento formado por una pieza plana llena de agujeros unida a un mango largo, que sirve para quitar la espuma de la comida que se está cocinando o para sacar un alimento del recipiente en el que se está cocinando)** ....

d) En **(estación del año comprendida entre el verano y el invierno)** .... va a haber **(nombramientos por votación para desempeñar un cargo)** ....

e) Los científicos están estudiando la **(conjunto de los animales de un país o región)** .... de esta **(terreno extenso, sin cultivar y muy poblado de árboles y plantas)** ....

f) Subieron al **(elevación del terreno de la que salen gases y materiales que proceden del interior de la Tierra)** .... en un **(sistema de transporte que consiste en una serie de vehículos que van colgados de un cable y que se usa para superar grandes distancias)** ....

33 Completa los siguientes refranes.

a) A quien Dios se la dé ....

b) A Dios rogando ....

c) A quien madruga ....

d) A caballo regalado ....

e) Casa con dos puertas ....

f) Al que a buen árbol se arrima ....

34 Relaciona las siguientes oraciones con la frase hecha apropiada en cada caso.

a) Cuando llegaron los bomberos ya se había quemado toda la casa. ( )

b) Su abuela le prepara unas comidas que sólo con verlas ya dan ganas de comerlas. ( )

c) Llegué tarde y perdí el autobús que luego sufrió el accidente. ( )

d) Se compró un abrigo de visón y resulta que era sintético. ( )

e) Su padre lo castigó por llegar tres horas tarde, pero lo había pasado tan bien que no le importó demasiado. ( )

f) Su suegra y él están todo el día discutiendo por tonterías. ( )

1. Librarse de una buena.
2. A buenas horas, mangas verdes.
3. Que le quiten lo bailado.
4. Hacerse la boca agua.
5. Estar como el perro y el gato.
6. Dar gato por liebre.

35 ¿Cuál de las siguientes definiciones corresponde a la palabra *maqueta?*

a) Saco de tela fuerte que sirve para llevar la comida, la caza, objetos para viaje y otras cosas.

b) Recipiente de barro que, lleno de tierra, se usa para cultivar plantas.

c) Cuchillo grande con la hoja ancha.

d) Modelo o reproducción en tamaño reducido de un monumento, edificio u otro objeto.

e) Asiento individual, pequeño y sin respaldo ni brazos.

f) Grasa de los animales, especialmente la del cerdo.

36 ¿Cuál de las siguientes definiciones corresponde a la palabra *nostalgia?*

a) Dolor intenso a lo largo de un nervio o de sus extensiones.

b) Hecho de tragar aire o gases, generalmente al comer, que provocan molestias e hinchamiento del vientre.

c) Falta de compañía.

d) Falta de conocimiento, preparación o medios para realizar una acción o una función.

e) Tristeza o pena que se siente al estar lejos de las personas y de los lugares queridos.

f) Sentimiento de pena; falta de alegría.

37 Escribe las palabras a las que se refieren las definiciones ayudándote de la siguiente lista, en la que aparecen las tres primeras letras de cada una de las palabras.

[URN, FIL, EST, AME, TUN, ASF]

a) Prenda de vestir hecha de tejido fuerte, con mangas largas, botones por delante y que llega más abajo de la cintura.

....

b) Tabla horizontal que se coloca en una pared o en otra superficie vertical para poner encima cosas.

....

c) Paso subterráneo que se construye para atravesar por debajo de la tierra o el agua.

....

d) Sustancia densa y pegajosa, de color oscuro y olor fuerte que, mezclada con arena o grava, se usa para cubrir superficies.

....

e) Materia u objeto a través del cual se hace pasar un líquido para hacerlo más claro o puro.

....

f) Caja con una abertura que se usa para introducir los votos en las votaciones secretas.

....

38 Escribe las palabras a las que se refieren las definiciones ayudándote de la siguiente lista, en la que aparecen las tres primeras letras de cada una de las palabras.

[NEC, ALB, OLI, COL, VER, GEN]

a) Persona que se dedica a la construcción de edificios y a otras obras.

....

b) Elemento vertical de apoyo, más alto que ancho, que sirve para soportar la estructura de un edificio, un arco o una escultura, o como adorno.

....

c) Caja o bolsa pequeña que sirve para guardar los objetos necesarios para el aseo personal.

....

d) Muerte de todas las personas que pertenecen a un grupo o a un pueblo, generalmente por motivos políticos o religiosos.

....

e) Forma de gobierno en la que el poder está en manos de unas pocas personas que pertenecen a una misma clase social.

....

f) Pared hecha con barras de hierro que se usa para limitar un espacio abierto.

....

39 Ordena las letras de las palabras en negrita.

a) Un lugar tan **santoñomo** es ideal para practicar **pianismol.**

....

b) No sé cómo puede llevar un **treusé** de un color tan **nóchill.**

....

c) El alcalde pone **roaflas** hasta en el **flotasa.**

....

d) Es **jatamisas tivoporde.**

....

e) No le quedaba ni una **apeste** en el **emeodron.**

....

f) Yo prefiero la **alpay** y tú la **atanñom.**

....

40 Completa con las vocales que faltan.

a) __n__r__k

b) g__b__rd__n__

c) ch__ncl__s

d) c__q__t__

e) v__lc__n

f) p__ñ__l__

41 Relaciona estas palabras con las oraciones.

[exprimidor, ebanista, masajista, elevalunas, colección, censo]

a) Mi tío tiene en su casa miles de sellos de todos los países del mundo.

....

b) Su coche está muy viejo y estropeado; no puede ni abrir la ventanilla.

....

c) Tengo unas molestias musculares en la espalda.

....

d) Por favor, ¿me puedes preparar un zumo de naranja?

....

e) En España no se puede votar hasta los 18 años.

....

f) Tu padre hace unos muebles preciosos.

....

Señala la palabra intrusa.

a) catedral, cura, convento, iglesia

b) afluente, arroyo, ensenada, fuente

c) chanclas, americana, bata, bermudas

d) flexo, farola, lámpara, pantalla

e) zapatillas, bufanda, sandalias, chanclas

f) desfiladero, bahía, cordillera, precipicio

 Completa las siguientes oraciones emparejadas. Las palabras necesarias sólo tienen distintas las letras indicadas.

EJEMPLO: *Félix siempre es muy amable conmigo. Es un* **cielo.**
Has corregido los ejercicios con mucho **celo.** (-i-, --)

a) Cuando llegue a casa me ducharé, me pondré el .... y me sentaré a leer junto a la chimenea.

Es un plato muy fácil de preparar: se cuecen todos los ingredientes y se pasan por la .... *(-n, -dora)*

b) Por la noche la calle está muy oscura porque el Ayuntamiento no quiere poner ninguna ....

Hay mucha niebla, así que voy a encender los .... para que los otros coches me puedan ver. *(-la, -s)*

c) Esta .... es la mejor canción del disco.

Tengo tantos libros que tendré que añadir una nueva .... al armario. *(-a-,--)*

d) Está esperando que comience la temporada de ...., porque es su gran pasión.

Retira el .... del fuego, que la leche se está saliendo. *(-a, -o)*

e) Eres muy amable por invitarme a una ...., pero no bebo.

Está claro que no es el cuadro original, sino una burda .... *(--, -i-)*

f) Lo más peligroso del volcán no es la .... sino la ceniza, que puede llegar a asfixiarte.

Me gusta tu suéter, ¿es de ....? *(-v-, -n-)*

44 Ordena las letras de las palabras de la lista y después completa con ellas el texto.

[íbaha, lipazdarao, unafa, aorinm, llberinats, sufipciere, sminarubo]

Mi abuelo era .... Tenía un precioso barco con el que navegaba por la .... Un día vio un extraño animal. Mi abuelo conocía toda la .... marina, pero nunca había visto algo igual: era muy grande y, aunque bajo el agua no se percibía muy bien, parecía que tenía unos ojos muy .... El animal estaba .... De pronto salió a la .... y mi abuelo comprendió que no era ningún pez ni nada parecido: se trataba de un ....

45 Las siguientes palabras no existen; son resultado de combinar dos o más palabras. Trata de asociar cada una de ellas con su posible significado.

a) conviento ( )   **d)** cuerdillera ( )

b) sartrén ( )   **e)** dibrujo ( )

c) abhogado ( )   **f)** extatua ( )

1. Obra de escultura a la que se le eliminan todos los tatuajes.

2. Letrado que no puede respirar.

3. Representación o imagen de un hechicero o un mago.

4. Serie de montañas atadas entre sí a lo largo.

5. Monasterio en el que sopla mucho el aire.

6. Ferrocarril que sirve para freír.

 46 Escribe las palabras a las que se refieren las definiciones ayudándote de la siguiente lista, en la que aparecen las tres primeras letras de cada una de las palabras.

FLE, JAR, LAV, ALG, EBA, ORO

a) Persona que se dedica a trabajar maderas finas y a construir muebles.

....

b) Materia fundida que sale de un volcán y que, cuando se enfría, se hace sólida y dura.

....

c) Materia vegetal, blanca y suave, que cubre la semilla de ciertas plantas.

....

d) Recipiente de cuello y boca anchos, con una o dos asas, que se usa para contener líquidos o de adorno.

....

e) Lámpara de mesa con brazo flexible.

....

f) Disciplina que estudia y describe las montañas.

....

Escribe las palabras a las que se refieren las definiciones ayudándote de la siguiente lista, en la que aparecen las tres primeras letras de cada una de las palabras.

[TAP, GRA, CAP, IRO, GUA, PEA]

a) Arte o técnica de grabar.

....

b) Prenda que cubre o protege la mano.

....

c) Cantidad de dinero que hay que pagar por pasar por una carretera, un puente o un lugar parecido.

....

d) Muro que rodea un terreno al aire libre y que sirve de valla.

....

e) Burla fina y disimulada que consiste en dar a entender lo contrario de lo que se dice.

....

f) Cubierta de metal que tapa el motor del automóvil.

....

Las siguientes palabras no existen; son resultado de combinar dos o más palabras. Trata de asociar cada una de ellas con su posible significado.

a) cemiento

b) emisorda

c) autopía

d) arrebatir

e) anhielo

f) monumente

1. Deseo intenso de algo muy frío.
2. Estación desde la que se emiten ondas que transmiten sonidos para personas que no pueden oír.
3. Proyecto ideal de automóvil imposible de realizar.
4. Edificio u obra pública de gran valor histórico o artístico que se crea con el pensamiento.
5. Materia en polvo que, mezclada con agua, forma una masa sólida y dura pero que no es verdad.
6. Quitar un objeto a alguien con violencia para luego moverlo con fuerza.

49 Las siguientes palabras contienen en su interior otras palabras. Asocia estas últimas con sus definiciones.

a) arquetipo .... ( )   d) chimenea .... ( )
b) analista .... ( )   e) disparatado .... ( )
c) terminar .... ( )   f) terremoto .... ( )

1. Mueve o agita.
2. Colocar explosivos para volar o derribar muros y edificios, o para impedir el paso del enemigo.
3. Persona sin determinar.
4. Que está muy lejos o muy apartado.
5. Unido o sujeto con cuerdas.
6. Serie ordenada de nombres o de datos.

50 Relaciona estas palabras con las oraciones.

mesurado, emotivo, frívolo, aberrante, entusiasta, variopinto

a) Se enfadó muchísimo con su hijo y lo obligó a dormir en el baño.

....

b) Durante la cena el homenajeado agradeció a todos los invitados su presencia.

....

c) Mi tío no bebe mucho, come con moderación y se toma la vida con tranquilidad.

....

d) En lugar de prestar atención a lo importante está ocupado con cosas inútiles.

....

e) El público que asistió al estreno era muy heterogéneo: había artistas, políticos, jóvenes, viejos, gente de distintas nacionalidades...

....

f) Es seguidor de ese equipo desde que nació y no se pierde ni uno solo de sus partidos.

....

51

Las siguientes palabras no existen; son resultado de combinar dos o más palabras. Trata de asociar cada una de ellas con su posible significado.

a) rusado ( )   **c)** gorrer ( )   **e)** telesférico ( )

b) vanqueros ( )   **d)** nagranja ( )   **f)** algordón ( )

1. Terreno en el campo con animales, algún edificio y un huerto donde se producen frutos comestibles, redondos, con una cáscara gruesa y con una carne dulce de la que se saca zumo.
2. Materia vegetal, blanca, suave y muy gruesa, que cubre la semilla de ciertas plantas.
3. Objeto de color parecido al rosa muy gastado y estropeado por el uso.
4. Pantalones hechos de una tela fuerte de algodón, generalmente azul, y que usan las personas que dirigen bancos.
5. Moverse de un lugar a otro de forma rápida llevando una prenda de vestir que cubra la cabeza.
6. Sistema de transporte que consiste en una serie de vehículos de forma redonda que van colgados de un cable.

52

Escribe las palabras a las que se refieren las siguientes definiciones teniendo en cuenta que cada pareja se diferencia solamente en la última letra.

a) Movimiento que hace el hombre al andar, levantando un pie, adelantándolo y volviéndolo a poner sobre el suelo: ....

Uva dulce y seca: ....

b) Calzado que cubre sólo el pie y que tiene la suela de un material más duro que el resto: ....

Pieza de un sistema de freno que roza contra la rueda o su eje para detener su movimiento: ....

c) Hecho o acción voluntaria: ....

Documento en el que están escritos los asuntos tratados o acordados en una reunión: ....

d) Parte que queda de un todo: ....

Operación que consiste en quitar una cantidad de otra y averiguar la diferencia: ....

e) Serie de cosas de la misma especie ordenadas por el grado o intensidad de cierta cualidad o aspecto: ....

Animal mamífero rumiante de pelo rojo oscuro con pequeñas manchas blancas y cuernos en forma de pala: ....

f) Periodo de tiempo en el que se debe hacer una cosa: ....

Lugar espacioso dentro de una población al que van a parar varias calles: ....

53

Busca en el texto las palabras a las que se refieren las siguientes definiciones.

a) Que sufre disgusto o enfado.

....

b) Pieza de metal, generalmente redonda y con un relieve en cada cara, que sirve para comprar o pagar.

....

c) Que provoca o siente una admiración o placer grande.

....

d) Que es muy malo; que no puede ser peor.

....

e) De la pasión, especialmente amorosa, o que tiene relación con ella.

....

f) Contraer o llenarse de deudas.

....

g) Permiso o autorización.

....

h) Pérdida o falta de ánimo o de energía.

....

i) Modo de dirigir un asunto para lograr un fin determinado.

....

j) Que recibe palabras de admiración por parte de una persona que pretende conseguir un provecho.

....

k) Dar grandes voces o gritos.

....

l) Que profesa un amor excesivo hacia sí mismo.

....

m) Conjunto de muchas cosas, especialmente de dinero.

....

n) Que ha perdido el sentido o la razón.

....

ñ) Acción de cautivar o atraer la voluntad.

....

La suerte no sonreía aquella noche a Félix de Acuña. Sus compañeros de partida parecían haber hecho un pacto con el diablo, y cada vez que apostaba una gran suma confiado en sus cartas, el dinero pasaba a engordar el bolsillo de sus rivales. Ante esta pésima fortuna otro jugador hubiera abandonado la reunión enfadado, pero Félix no era de los que se dejaban vencer por el desaliento. Este joven orgulloso y altanero, arrogante y pendenciero, conquistador de los corazones de cuantas damas encontraba a su paso, ególatra y sinvergüenza, no se vino abajo y, cuando vio que empezaba a endeudarse, pidió licencia para abandonar la mesa y, tras vociferar que volvería enseguida con más dinero, desapareció por la puerta.

La luna iluminaba la noche sevillana, pero la mente de Félix seguía sumida en tinieblas. Necesitaba al menos unas monedas para seguir apostando, pero ignoraba cómo conseguirlas. Absorto en sus pensamientos se encontró frente a una hermosa fachada que le resultaba familiar. ¡Claro —ahora recordaba—, es la casa de Inés de Peñaranda!

La dulce Inés había sido una más de las incautas jóvenes seducidas por el apuesto bribón. Podía recordarla paseando por los jardines, lanzándole miradas furtivas desde su ventana, sonrojándose halagada por sus cálidas palabras, embelesada por una sarta de mentiras fruto de una calculada estrategia de seducción, que Félix usaba con todas y cada una de sus conquistas. Pero todo esto que con otras terminaba con unas simples lágrimas al verse ultrajadas, tuvo en el caso de Inés un desenlace fatal, pues, rechazada por su amor y ofuscado el pensamiento, puso fin a su vida con un suicidio pasional, hacía ya cinco años de ello.

54 Busca en el texto las palabras a las que se refieren las siguientes definiciones.

a) Conjunto de huesos de la cabeza.

....

b) Cuerpo humano después de muerto.

....

c) Echarse sobre una superficie horizontal, especialmente a dormir.

....

d) Respeto, atención y buen juicio al decir o hacer una cosa.

....

e) Que tiende a hacer o decir bromas o burlas.

....

f) Hacer un ruido algunos cuerpos cuando se rozan, se doblan o se rompen.

....

g) Que no gusta de gastar dinero; que intenta gastar lo menos posible.

....

h) Hablar bajo y produciendo un sonido continuado y suave.

....

i) Quitar con violencia.

....

j) Expresar con la voz el dolor o la pena que se siente.

....

k) Que se presenta o se realiza con mucha fuerza o energía.

....

l) Lugar lleno de caminos cruzados del que es muy difícil salir.

....

m) Pared hecha con barras de hierro que se usa para limitar un espacio abierto.

....

n) Parte superior y posterior del cuello, donde se une con la cabeza.

....

ñ) Que hace una cosa o se mueve de modo fácil, suelto y rápido; que es hábil.

....

La visión de la casa de los Peñaranda trajo a la memoria de Félix todos aquellos recuerdos de tiempos pasados, y especialmente uno de ellos. La inocente Inés tenía un precioso anillo de oro y brillantes. Una idea asaltó la mente de Félix: posiblemente fuera enterrada con él puesto.

Tras atravesar un laberinto de calles llegó hasta el cementerio donde reposaban los restos de su difunta enamorada. Decidido y ágil escaló por el muro; una vez saltada la verja, se dirigió hacia la tumba de Inés y, sin más miramientos, la profanó. Al levantar la tapa pudo contemplar los restos de la desgraciada Inés. De su angelical rostro sólo permanecía la sonrisa de la calavera, no quedaba ni rastro de su rubia cabellera; lo único que permitió a Félix reconocerla fue la fabulosa joya que aún brillaba en uno de sus dedos. Trató de arrancar el valioso anillo, que la huesuda y tacaña mano parecía negarse a soltar. Con un pequeño cuchillo cortó el dedo y para despedirse susurró burlón: "Querida Inés, tú ya no lo necesitas".

De regreso a la partida la suerte de Félix cambió radicalmente. Tras apostar el preciado anillo recuperó buena parte de lo anteriormente perdido y, bien entrada la noche, decidió irse a dormir a su habitación. Antes de acostarse vació la bolsa con todas las monedas y estuvo un rato observando el anillo. Finalmente se lo puso y se tumbó en la cama. Quizá por la intensa noche vivida, quizá por el mucho vino bebido, lo cierto es que no tardó en quedarse dormido. De repente un frío aliento en su nuca le hizo despertarse, pudo oír un crujir de huesos y sintió un fuerte dolor, pero no tuvo tiempo de quejarse. Sus ojos medio cerrados aún le permitieron ver una figura esquelética que salía por la puerta. Un reguero de gotas rojas condujo su vista hasta su propia mano, de la que salía abundante sangre a la altura del dedo amputado.

55 Completa las oraciones con la palabra adecuada.

a) No sabíamos dónde estaba el norte y no pudimos orientarnos porque nuestra .... estaba rota.

b) Mercurio es el .... más cercano al Sol.

c) Estaba muy gordo y el médico le impuso una .... muy severa.

d) Una piara es un grupo de cerdos y una .... un grupo de perros.

e) Escribir "vino" con "b" es una falta de ....

f) No le gusta hablar en público; le da mucha .... y se pone colorado.

56 **Relaciona estos adjetivos con las oraciones siguientes.**

[cobarde, optimista, traidor, espléndido, intolerante, taciturno]

a) Mi mejor amigo me denunció a la policía.

....

b) Hoy voy a ir a cenar ostras; no tengo dinero pero confío en pagarlas con la perla que encuentre en una de ellas.

....

c) Es muy reservado y nunca quiere hablar de nada con nadie.

....

d) Tiene miedo hasta de su propia sombra.

....

e) No es nada tacaño; siempre está invitando a todos sus amigos.

....

f) No permite que nadie tenga una opinión distinta de la suya.

....

57 **Relaciona estos adjetivos con las oraciones siguientes.**

[complejo, evidente, efímero, dubitativo, escaso, prioritario]

a) El éxito no le duró mucho.

....

b) No parece que estés muy seguro.

....

c) El desayuno estaba delicioso, pero era muy poca cantidad.

....

d) Este asunto tiene preferencia.

....

e) Eso no es nada sencillo.

....

f) No hay duda de que es así.

....

58 Escribe las palabras a las que se refieren las definiciones teniendo en cuenta que todas empiezan por *des*.

a) Dar a conocer las verdaderas intenciones, sentimientos o hechos ocultos de una persona.

....

b) Que tiene una cubierta en el techo que puede ser plegada o recogida.

....

c) No estar de acuerdo con una cosa.

....

d) Que habla u obra sin vergüenza ni respeto.

....

e) Que no tiene nubes.

....

f) Perder el sentido o el conocimiento.

....

g) Que explica unas cualidades o características.

....

59 Las siguientes palabras no existen; son resultado de combinar dos o más palabras. Trata de asociar cada una de ellas con su posible significado.

a) cantimplorar ( )   **c)** socegado ( )   **e)** iranía ( )

b) quilomancia ( )   **d)** piésimo ( )   **f)** sopuertar ( )

1. Que está tranquilo, sin preocupación ni nervios porque no puede ver.

2. Burla fina y disimulada que consiste en dar a entender lo contrario de lo que se dice, con el ánimo de enfadar a alguien.

3. Rogar con gran sentimiento, mediante una canción, para recibir agua.

4. Adivinación del futuro interpretando el peso de la gente.

5. Sostener o llevar una carga o peso hasta la puerta de una casa.

6. Que tiene la parte del cuerpo que va desde el tobillo hasta la punta de los dedos en muy mal estado.

60 Busca en el texto las palabras a las que se refieren las siguientes definiciones.

a) Echado sobre una superficie horizontal.

....

b) Que tiene sal o más sal de la necesaria.

....

c) Viajar o ir por el mar en un barco o nave.

....

d) Que se mueve o se hace con una gran velocidad.

....

e) Parte que queda de una cosa después de haberla consumido o de haber trabajado con ella.

....

f) Golpe dado con la mano cerrada.

....

g) Persona que ha sufrido el hundimiento de la embarcación en la que viajaba.

....

h) Extensión de tierra que está rodeada de agua por todas partes.

....

i) Capacidad para sentir y comprender lo que ocurre.

....

j) Descender una nave aérea hasta parar en tierra firme.

....

k) Inventar cosas o situaciones; crear ideas reales o falsas.

....

l) Pena o sufrimiento muy intenso; miedo que no tiene una causa conocida.

....

m) Perder momentáneamente el conocimiento.

....

n) Que siente miedo.

....

ñ) Trozo de metal redondo o con forma de cilindro que se dispara con las armas de fuego.

....

o) Introducirse una cosa dentro de otra.

....

El menú que se anunciaba en la puerta del restaurante hizo que se detuviera. Paloma asada. Cuántos recuerdos le despertaba aquella comida. No lo dudó y entró para degustar aquel sabroso plato. Hacía ya más de seis meses de la terrible tragedia que le había sacudido. Aquél era el primer día que salía de casa desde el triste suceso.

Bernardo se llevó a la boca el preciado manjar, pero al saborearlo sintió como un puñetazo dentro de su cabeza y por fin lo comprendió todo. Se levantó precipitadamente de la mesa y tras pagar al camarero con el primer billete que encontró en su bolsillo se dirigió rápido a su casa.

Su vida ya no tenía sentido y decidió terminarla de un disparo. La detonación sacudió su cabeza, y mientras la bala viajaba a alojarse en su cerebro todas las imágenes de su existencia cruzaron por su mente.

Recordó a Celia, su adorada esposa; su pasión por navegar, aquel último crucero en compañía de amigos íntimos. El barco tenía todos los lujos que se pudieran imaginar, pero por desgracia no contaba con la seguridad adecuada. Así, cuando la tempestad azotó la embarcación ésta se fue a pique, se hundió. Bernardo vio cómo algunos de sus amigos se agarraban desesperados a los restos del mobiliario del barco. Trató de divisar a Celia, pero el agua se le metía en los ojos y le entraba por la nariz dejándole un regusto salado. Luego se desvaneció y no recuperó la conciencia hasta tres días más tarde.

Al despertarse pudo contemplar a su mejor amigo, Pedro, que le estaba intentado refrescar con un pañuelo empapado en agua. "Tranquilo, Bernardo —le dijo—, no te levantes bruscamente; llevas varios días con fiebre y delirando, y creo que tienes un pie roto, reposa un poco." Pero Bernardo estaba alterado, no era fácil aceptar la situación de ser un náufrago en una isla perdida en mitad del océano. "¿Dónde está Celia? —preguntó aterrorizado por la idea de perder a su esposa—. No ha aparecido; los demás estamos todos bien." Celia muerta; la angustia lo invadía. ¿Cómo podría vivir sin ella?

Pedro le acercó un pedazo de carne apenas cocinado en una sencilla hoguera. "Hemos podido cazar algunas palomas." Bernardo engulló el alimento y se sintió mejor. Durante otros tres días estuvo tumbado en el mismo lugar sin moverse y alimentado siempre con carne de paloma. Finalmente un avión los descubrió y, aunque no pudo aterrizar, avisó de su presencia y horas después fueron rescatados y devueltos a la civilización.

Bernardo poco a poco se fue recuperando hasta el día en que, sintiéndose ya plenamente repuesto, decidió salir a pasear por la ciudad y entrar a comer en aquel restaurante. Al meter en su boca el primer trozo de paloma pudo comprobar, para su desgracia, que aquella carne no tenía nada que ver con la que había tomado en la isla. No le costó mucho atar cabos hasta llegar a la conclusión de que había sido alimentado con la carne de su propia esposa. Este descubrimiento lo atormentó hasta el punto de suicidarse.

¿Cuál de las siguientes definiciones corresponde a la palabra _azorar_?

a) Dar golpes de forma repetida y violenta.

b) Preocupar.

c) Expresar amor u obediencia con oraciones o ceremonias religiosas.

d) Vigilar con atención.

e) Cerrar, estrechar o impedir el paso.

f) Tocarse dos superficies cuando al menos una de ellas está en movimiento.

62 **¿Cuál de las siguientes definiciones corresponde a la palabra _conjetura_?**

a) Punto o lugar en que se unen una o más cosas.

b) Texto de una obra musical en el que se anotan los sonidos que han de ejecutar los distintos instrumentos o voces y el modo en que deben hacerlo.

c) Tejido delgado que cubre la parte interior del párpado y llega hasta la parte anterior del globo del ojo de los vertebrados.

d) Idea o afirmación que no se ha demostrado.

e) Paso estrecho.

f) Suposición o juicio formado a partir de señales.

63 **¿Cuál de las siguientes definiciones corresponde a la palabra _anfitrión_?**

a) Actor de teatro, especialmente el que actúa de forma exagerada.

b) Persona que enseña los lugares de interés de una ciudad.

c) Persona que tiene invitados.

d) Animal que puede vivir dentro y fuera del agua.

e) Pasión por conseguir poder, riqueza o fama.

f) Gusto o interés por una cosa.

 ¿Cuál de las siguientes definiciones corresponde a la palabra *abuchear?*

a) Protestar o mostrar enfado mediante gritos y sonidos graves hechos con la boca, especialmente un grupo de personas.

b) Avergonzar o producir vergüenza.

c) Beber metiendo pequeñas cantidades de agua en la boca.

d) Hablar sin respeto o consideración; hacer una ofensa de palabra.

e) Odiar con fuerza; no poder soportar o admitir.

f) Producir sonidos agudos soplando con fuerza en un cuerpo hueco.

 ¿Cuál de las siguientes definiciones corresponde a la palabra *añejo?*

a) Trozos muy pequeños en que se divide un objeto al romperse.

b) Tiempo que emplea la Tierra en dar una vuelta alrededor del Sol.

c) Que tiene mucho tiempo.

d) Cría de la vaca.

e) Enfado, molestia o disgusto grande.

f) Texto que está unido a otro y que lo completa o complementa.

66 **Las siguientes palabras no existen; son resultado de combinar dos o más palabras. Trata de asociar cada una de ellas con su posible significado.**

a) amanaza ( )   c) idieta ( )   e) esqueso ( )
b) buhoardilla ( )   d) erraticida ( )   f) traidós ( )

1. Producto que elimina las equivocaciones materiales en un escrito.

2. Último piso de una casa, justo debajo del tejado, que tiene el techo inclinado y en el que pueden habitar diversos animales.

3. Obra o dicho que da a entender la intención de causar daño con la mano a una persona.

4. Pequeña cantidad de un alimento que se elabora haciendo sólida la leche.

5. Persona que es infiel al menos dos veces.

6. Conjunto de normas idiotas que se refieren a la cantidad y al tipo de alimentos que se deben tomar.

67

Busca seis palabras relacionadas con los viajes.

J	H	P	F	N	A	V	E	G	A	R	U
E	O	R	T	Y	A	J	O	Y	U	I	R
N	I	B	U	N	I	F	A	M	I	A	O
C	A	R	A	V	A	N	A	N	T	T	P
D	A	C	Z	R	A	T	O	U	A	S	P
G	E	N	T	U	A	R	A	D	O	I	R
T	O	E	N	F	R	C	I	C	O	P	P
R	P	T	A	A	E	O	O	N	I	O	M
A	T	Z	O	W	E	O	R	T	R	T	I
Ñ	A	T	Z	S	T	B	C	M	U	U	E
A	D	T	S	C	I	I	D	Z	R	A	G
S	E	R	E	M	O	L	Q	U	E	E	R

68

En los siguientes refranes y modismos, sustituye las definiciones por la palabra a la que se refieren teniendo en cuenta que la definición no es la adecuada para ese contexto.

a) Más **(papel que se puede cambiar por una cantidad de dinero o un objeto)** .... que **(encima de)** .... que no que falte.

b) Cada **(golpe que se da con un trozo de madera)** .... que aguante su **(situación o estado del que está despierto en las horas destinadas al sueño)** ....

c) No le duelen **(objetos que forman parte del vestido o del calzado)**
....

d) Al que no quiere caldo, **(recipiente del váter en el que se orina y se hace de vientre)** .... y **(prenda de vestir femenina de tejido elástico muy fino, que cubre cada pierna desde el pie hasta más arriba de la rodilla)** ....

e) Del mar el **(que es poco o nada importante)** .... y de la **(materia mineral, especialmente la que compone el suelo natural)** .... el cordero.

f) Aunque la **(estado en el que se pierde el control a causa del consumo excesivo de alcohol)** .... se vista de **(hilo muy delicado y flexible con el que forman sus capullos ciertos gusanos),** ...., **(estado en el que se pierde el control a causa del consumo excesivo de alcohol)** .... se queda.

g) Buscar una **(construcción en forma de cono estrecho de gran altura que se coloca encima de las torres)** .... en un pajar.

EJERCICIOS DE LÉXICO

Claves

1

a) Como querían ir al cine llamaron a una **canguro** para que cuidase a los niños.

b) Venus es un **planeta** del sistema solar.

c) Este banco abrirá una **sucursal** en nuestra calle.

d) Tiene una **calvicie** de campeonato; no le queda ni un pelo en la cabeza.

e) Tenía sed, pero en la **cantimplora** no quedaba agua.

f) Tiene la cara más dura que el **cemento.**

2

a) Le **concedieron** el Premio Nobel de Literatura.

b) No hace falta que me **chilles;** no estoy sordo.

c) **Celebro** que hayas venido.

d) **Omitieron** los nombres de los acusados.

e) **Prometió** que no volvería a hacerlo.

f) La paternidad **supone** una mayor responsabilidad.

3

a) Juan **tiene** poco cabello.

b) Es Pedro quien **soporta** la economía familiar, pues es el único que cobra un sueldo.

c) A Luis le **fastidia** tener que pedir permiso a sus padres.

d) El boxeador **devuelve** el golpe a su rival.

e) El pastelero **monta** la nata para preparar la tarta.

f) Un buen amigo **vale** su peso en oro.

4

a) Le **he prestado** un paraguas para que no se moje.

b) **Abandonó** su pueblo una fría tarde de enero.

c) Hace una hora que **ha parado** de llover.

d) No nos **permiten** salir de casa sin su permiso.

e) Juan **se olvidó** el paraguas en el taxi.

5

A perro flaco todo son pulgas.

Quien a hierro mata a hierro muere.

De tal palo tal astilla.

Más vale maña que fuerza.

A caballo regalado no le mires el diente.

Más vale prevenir que curar.

6

a) Siempre que me encuentro en este lugar desierto me domina una **agradable** sensación de **sosiego** y **esperanza.**

b) El ingeniero era famoso por su **paciencia.**

c) Parece que te gustan las canciones **rítmicas** y **acompasadas.**

d) Después de la desabrida cena se tomó un descafeinado.

e) La sartén estaba hecha con un material **adherente,** pero fue recibida con **agrado.**

f) Sentía una gran **tranquilidad** en aquel desfiladero desértico.

7

a) El **mate** tiene un sabor desagradable. (5)

b) Jordan ganó el concurso de **mates.** (3)

c) La pintura tenía un tono **mate.** (2)

d) Luis suspendió el examen de **mates.** (4)

e) Su vida es **mate;** nunca le sucede nada interesante. (6)

f) Con el movimiento del alfil negro consiguió el **mate.** (1)

8

a) Acudió al **cardiólogo** porque tenía problemas de arritmia.

b) Se rompió un hueso y tuvo que visitar al **traumatólogo.**

c) La madre llevo al niño al **pediatra.**

d) El **ginecólogo** le explicó a la mujer que no podría tener hijos.

e) El **dentista** le extrajo una muela al abogado.

f) Le dolía un oído y tuvo que acudir al **otorrinolaringólogo.**

9

ironía - sarcástico

templo - sagrado

enfadarse - cabreado

cuñado - pariente

charla - contertulio

diagnóstico - médico

10

a) A buenas horas mangas **verdes.**

b) Fue cocinero antes que **fraile.**

c) Cada mochuelo a su **olivo.**

d) Se les **hace** la boca agua.

e) Más sabe el diablo por **viejo** que por **diablo.**

f) Cada **palo** que aguante su **vela.**

11

a) Se forma de madera y espuma pero con ninguno de estos dos materiales.
   (espumadera)

b) Si se me oye mucho no se puede oír nada.
   (ruido)

c) Pese a mi nombre la gente no se sienta sobre mí, y prefiere otros muebles como sillas o sofás.
(cómoda)

d) Aunque no me pregunten siempre contesto salvo cuando hay silencio.
(eco)

e) Soy la ropa favorita de las gambas.
(gabardina)

12

a) Parte de un río con fondo firme y poco profundo, por donde se puede pasar andando o en un vehículo: **vado**

b) Elevación del terreno de la que salen gases y materiales que proceden del interior de la Tierra: **volcán**

c) Dibujo que se hace antes de pintar un cuadro y que sirve para indicar cómo se va a hacer y cuál va a ser el resultado: **boceto**

d) Pieza de metal que cuelga a ambos lados de la silla de montar y en la que se apoya el pie: **estribo**

e) Corte del terreno vertical y profundo: **precipicio**

f) Línea de piedra que se coloca al borde de la acera: **bordillo**

13

a) Pintura que se hace sobre papel o cartón con colores disueltos en agua: **acuarela**

b) Barro fino, cocido y barnizado, que se usa para hacer objetos de adorno: **porcelana**

c) Cuenta en la que se detallan las mercancías compradas o los servicios recibidos y la cantidad de dinero que se pide por ellos: **factura**

d) Calzado formado por una suela que se asegura al pie con correas o cuerdas: **sandalia**

e) Edificio en el que vive una comunidad de religiosos bajo unas reglas: **convento**

f) Conjunto de objetos que sirven para el servicio de la mesa: **vajilla**

14

a) El río Ebro recibe agua de numerosos **afluentes.**

b) Es increíble la cantidad de lava que puede llegar a expulsar un **volcán.**

c) Esa cordillera está formada por unas **montañas** altísimas.

d) España y Portugal constituyen una **península.**

e) Prefieren bañarse en un **lago** antes que en el mar porque, al estar cerrado, es más seguro... salvo que aparezca un monstruo.

f) Toda el agua salada de la superficie de la Tierra se divide en cinco **océanos.**

15

a) Lo mejor de esta música es su **cadencioso** ritmo.

b) Vayamos a cenar a un restaurante mexicano; me gusta la comida **picante.**

c) A ese **recóndito** lugar no llega ningún tipo de información.

d) Después del parto la madre tenía el rostro **blanquecino.**

e) No pude subir a la cima porque el terreno era demasiado **escarpado.**

f) Creo que no le has echado sal, porque me sabe **soso.**

16

17

a) El muchacho es tan inteligente como su padre. (6)

b) Además de no tener trabajo le han robado todos sus ahorros. (2)

c) Se ha puesto unas gafas para parecer un intelectual, pero sigue siendo muy burro. (5)

d) Aunque le ofrecieron un trabajo con buenas perspectivas prefirió seguir en el suyo con su escaso sueldo. **(1)**

e) El entrenador del equipo ganador consideró el torneo como el mejor de la historia, mientras que su rival dijo que no había habido el suficiente nivel. **(3)**

f) Luis ya tenía demasiados problemas como para ocuparse de los de Juan. **(4)**

18

Posibles respuestas

a) No sé cómo puede ser tan **coqueta** como para estar todo el día delante del espejo.

b) Me temo que este cuadro no es el **original** sino una copia.

c) Date prisa, que eres más **lento** que el crecimiento de una lechuga.

d) Todos queríamos probar aquel plato tan **apetitoso.**

e) Si necesitas ayuda lo haré muy **gustoso.**

f) Para echar la sopa necesitamos un plato **hondo,** pues uno llano no nos vale.

19

a) Nunca había estado en una **cañada.**

b) Se nos estropeó la **impresora.**

c) Te saldrá más barato si te compras un **bonobús.**

d) Ten cuidado con el **bordillo.**

e) No se atrevieron a tomar la salsa porque tenía un tono **verdoso.**

f) El Miño no es **afluente** del río Duero.

20

a) Se compró una caja de **acuarelas** y se le olvidaron los pinceles.

b) Harás el ridículo si vas a una fiesta elegante con esas **sandalias.**

c) Las **rebecas** se empezaron a llamar así por el título de una película.

d) Dejó el trabajo de cocinero: no se veía todo el día entre **cacerolas.**

e) Siento mucho que se hayan roto las **cazuelas** de barro.

f) En las **rotondas** de esta ciudad el alcalde ha puesto fuentes.

21

a) Los fines de semana suele divertirse con su **aparato sin motor, muy ligero, compuesto de una tela con forma de triángulo y una estructura a la que se sujeta el que lo maneja y que sirve para volar.**
(ala delta)

b) A su abuela le apasiona hacer **labor a mano que consiste en tejer el hilo con una aguja fuerte, de unos veinte centímetros de largo, que tiene un extremo más delgado y acabado en un gancho.**
(ganchillo)

c) Se quiere comprar un **vehículo tirado por otro.**
(remolque)

d) Cuando hace sol salimos al **terreno, generalmente al aire libre, en el que se cultivan plantas y flores para hacerlo agradable.**
(jardín)

e) Su padre fue un buen alcalde y por eso la ciudad le levantó una **obra de escultura que representa una figura humana o animal, o que tiene carácter simbólico.**
(estatua)

f) Por su cumpleaños le han regalado una **prenda de vestir larga, con mangas y con botones por delante, que se usa en casa para estar cómodo o para el trabajo profesional en un taller, un hospital, un laboratorio u otros lugares.**
(bata)

22

a) Esa señora vive sola y sólo tiene para hacerle compañía un **gato.**

b) No le cuentes chistes porque no tiene **humor.**

c) Le gusta mucho el zumo de **manzana.**

d) No podía utilizar el coche, pues tenía estropeado un **piloto.**

e) Fueron a buscar al **cura** a la iglesia.

23

Automóvil: faros, capó, volante.

Prendas de vestir y complementos: pañoleta, pañuelo, chal, suéter, jersey, anorak, bufanda.

Calzado: chanclas, zapatillas, sandalias.

Pasatiempos: crucigramas, damero maldito.

24

a) Era muy pobre pero ahora es (*sabroso* / *rico* / *adinerado*).

b) El policía llevaba una (*insignia* / *placa* / *matrícula*).

c) Los coches llevaban detrás (*remolques* / *ramblas* / *caravanas*).

d) Se compró un plato de (*cerámica* / *poliéster* / *porcelana*).

e) Había platos y vasos colocados en (*estantes* / *baldas* / *baladas*).

f) Esta bombilla la puedes poner en una (*lámpara* / *vela* / *flexo*) para iluminar la habitación.

25

a) Se golpeó en el labio con **el pico** del mueble.

b) Después de la bronca que le cayó no abrió **el pico**.

c) Nos robaron tres mil pesetas y **pico**.

d) Es un montañista experto: ha subido a **todos los picos** de la zona.

e) Con la aguja de la jeringuilla se metió **un pico**.

f) Tiene **un pico** que lo convierte en un vendedor extraordinario.

26

a) Café: **amargo**

b) Azúcar: **dulce**

c) Pescado: **salado**

d) Naranja: **ácido**

e) Pan sin sal: **soso**

f) Leche cortada: **agrio**

27

a) No tenía **pinzas** para colgar la ropa.
El cangrejo me pellizcó con sus **pinzas**.

b) Tenían a diez mujeres trabajando en la plantación de **algodón**.
Como sangraba por la nariz se puso un **algodón**.

c) Se pinchó con la **aguja**.
El tocadiscos no podía funcionar sin **aguja**.

d) En la televisión vi una película de indios y **vaqueros**.
No le gusta ese tipo de pantalones; prefiere los **vaqueros**.

e) No pudimos oír el **parte** meteorológico.
Con esa pinta no vas a ninguna **parte**.

f) Había un taxi en el **cruce** entre tu calle y la mía.
El mulo es el **cruce** entre un caballo y un burro.

28

I	H	P	F	E	R	G	B	N	A	H	A
E	N	R	T	Y	A	J	O	Y	U	I	R
N	Í	F	U	N	I	F	A	M	I	Y	O
P	L	I	O	N	D	U	E	N	T	R	S
D	A	C	Z	R	A	T	O	N	A	I	E
G	E	D	T	U	M	R	A	D	O	S	R
T	E	É	N	E	R	A	I	C	O	M	P
R	P	T	E	N	R	E	T	N	I	E	M
A	T	U	O	W	E	O	R	I	R	T	I
Ñ	T	T	Z	S	T	B	C	M	C	N	E
A	D	I	S	C	O	D	U	R	O	O	G
S	E	C	K	U	I	D	A	T	N	E	R

29

d) Discurso que se pronuncia para levantar el ánimo de los que lo escuchan.

30

anorak, acuarela, arroyo, bahía, fuente, isla, lago, océano, playa

31

a) Del dicho al hecho hay un trecho.

b) Fue cocinero antes que fraile.

c) Se dice el pecado, pero no el pecador.

d) No es para echar las campanas al vuelo.

e) Más vale pájaro en mano que ciento volando.

f) Más vale ser cabeza de ratón que cola de león.

32

a) En el **cruce** había un **semáforo** estropeado.

b) La **azafata** se quemó con la **cafetera.**

c) Tu **cuchara** de madera está en el mismo cajón que mi **espumadera.**

d) En **otoño** va a haber **elecciones.**

e) Los científicos están estudiando la **fauna** de esta **selva.**

f) Subieron al **volcán** en un **teleférico.**

33

a) A quien Dios se la dé **San Pedro se la bendiga.**

b) A Dios rogando **y con el mazo dando.**

c) A quien madruga **Dios le ayuda.**

d) A caballo regalado **no le mires el diente.**

e) Casa con dos puertas **mala es de guardar.**

f) Al que a buen árbol se arrima **buena sombra le cobija.**

34

a) Cuando llegaron los bomberos ya se había quemado toda la casa. (2)

b) Su abuela le prepara unas comidas que sólo con verlas ya dan ganas de comerlas. (4)

c) Llegué tarde y perdí el autobús que luego sufrió el accidente. (1)

d) Se compró un abrigo de visón y resulta que era sintético. **(6)**

e) Su padre lo castigó por llegar tres horas tarde, pero lo había pasado tan bien que no le importó demasiado. **(3)**

f) Su suegra y él están todo el día discutiendo por tonterías. **(5)**

35

d) Modelo o reproducción en tamaño reducido de un monumento, edificio u otro objeto.

36

e) Tristeza o pena que se siente al estar lejos de las personas y de los lugares queridos.

37

a) Prenda de vestir hecha de tejido fuerte, con mangas largas, botones por delante y que llega más abajo de la cintura: **americana**

b) Tabla horizontal que se coloca en una pared o en otra superficie vertical para poner encima cosas: **estante**

c) Paso subterráneo que se construye para atravesar por debajo de la tierra o el agua: **túnel**

d) Sustancia densa y pegajosa, de color oscuro y olor fuerte que, mezclada con arena o grava, se usa para cubrir superficies: **asfalto**

e) Materia u objeto a través del cual se hace pasar un líquido para hacerlo más claro o puro: **filtro**

f) Caja con una abertura que se usa para introducir los votos en las votaciones secretas: **urna**

38

a) Persona que se dedica a la construcción de edificios y a otras obras: **albañil**

b) Elemento vertical de apoyo, más alto que ancho, que sirve para soportar la estructura de un edificio, un arco o una escultura, o como adorno: **columna**

c) Caja o bolsa pequeña que sirve para guardar los objetos necesarios para el aseo personal: **neceser**

d) Muerte de todas las personas que pertenecen a un grupo o a un pueblo, generalmente por motivos políticos o religiosos: **genocidio**

e) Forma de gobierno en la que el poder está en manos de unas pocas personas que pertenecen a una misma clase social: **oligarquía**

f) Pared hecha con barras de hierro que se usa para limitar un espacio abierto: **verja**

39

a) Un lugar tan **montañoso** es ideal para practicar **alpinismo.**

b) No sé cómo puede llevar un **suéter** de un color tan **chillón.**

c) El alcalde pone **farolas** hasta en el **asfalto.**

d) Es **masajista deportivo.**

e) No le quedaba ni una **peseta** en el **monedero.**

f) Yo prefiero la **playa** y tú la **montaña.**

40

a) anorak   d) coqueta

b) gabardina   e) volcán

c) chanclas   f) pañuelo

41

a) Mi tío tiene en su casa miles de sellos de todos los países del mundo.
   (colección)

b) Su coche está muy viejo y estropeado; no puede ni abrir la ventanilla.
   (elevalunas)

c) Tengo unas molestias musculares en la espalda.
   (masajista)

d) Por favor, ¿me puedes preparar un zumo de naranja?
   (exprimidor)

e) En España no se puede votar hasta los 18 años.
(censo)

f) Tu padre hace unos muebles preciosos.
(ebanista)

42

a) cura

b) ensenada

c) chanclas

d) pantalla

e) bufanda

f) bahía

43

a) Cuando llegue a casa me ducharé, me pondré el **batín** y me sentaré a leer junto a la chimenea.

Es un plato muy fácil de preparar: se cuecen todos los ingredientes y se pasan por la **batidora.**

b) Por la noche la calle está muy oscura porque el Ayuntamiento no quiere poner ninguna **farola.**

Hay mucha niebla, así que voy a encender los **faros** para que los otros coches me puedan ver.

c) Esta **balada** es la mejor canción del disco.

Tengo tantos libros que tendré que añadir una nueva **balda** al armario.

d) Está esperando que comience la temporada de **caza,** porque es su gran pasión.

Retira el **cazo** del fuego, que la leche se está saliendo.

e) Eres muy amable por invitarme a una **copa,** pero no bebo.

Está claro que no es el cuadro original, sino una burda **copia.**

f) Lo más peligroso del volcán no es la **lava** sino la ceniza, que puede llegar a asfixiarte.

Me gusta tu suéter, ¿es de **lana?**

44

Mi abuelo era **marino.** Tenía un precioso barco con el que navegaba por la **bahía.** Un día vio un extraño animal. Mi abuelo conocía toda la **fauna** marina, pero nunca había visto algo igual: era muy grande y, aunque bajo el agua no se percibía muy bien, parecía que tenía unos ojos muy **brillantes.** El animal estaba **paralizado.** De pronto salió a la **superficie** y mi abuelo comprendió que no era ningún pez ni nada parecido: se trataba de un **submarino.**

45

a) conviento (convento + viento) **(5)**

b) sartrén (sartén + tren) **(6)**

c) abhogado (abogado + ahogado) **(2)**

d) cuerdillera (cuerda + cordillera) **(4)**

e) dibrujo (dibujo + brujo) **(3)**

f) extatua (ex + estatua + tatuar) **(1)**

46

a) Persona que se dedica a trabajar maderas finas y a construir muebles: **ebanista**

b) Materia fundida que sale de un volcán y que, cuando se enfría, se hace sólida y dura: **lava**

c) Materia vegetal, blanca y suave, que cubre la semilla de ciertas plantas: **algodón**

d) Recipiente de cuello y boca anchos, con una o dos asas, que se usa para contener líquidos o de adorno: **jarra**

e) Lámpara de mesa con brazo flexible: **flexo**

f) Disciplina que estudia y describe las montañas: **orografía**

47

a) Arte o técnica de grabar: **grabado**

b) Prenda que cubre o protege la mano: **guante**

c) Cantidad de dinero que hay que pagar por pasar por una carretera, un puente o un lugar parecido: **peaje**

d) Muro que rodea un terreno al aire libre y que sirve de valla: **tapia**

e) Burla fina y disimulada que consiste en dar a entender lo contrario de lo que se dice: **ironía**

f) Cubierta de metal que tapa el motor del automóvil: **capó**

48

a) cemiento (cemento + miento) **(5)**

b) emisorda (emisora + sorda) **(2)**

c) autopía (auto + utopía) **(3)**

d) arrebatir (arrebatar + batir) **(6)**

e) anhielo (anhelo + hielo) **(1)**

f) monumente (monumento + mente) **(4)**

49

a) arque**tipo** **(3)**

b) ana**lista** **(6)**

c) ter**minar** **(2)**

d) chi**menea** **(1)**

e) dispar**atado** **(5)**

f) ter**remoto** **(4)**

50

a) Se enfadó muchísimo con su hijo y lo obligó a dormir en el baño.
(aberrante)

b) Durante la cena el homenajeado agradeció a todos los invitados su presencia.
(emotivo)

c) Mi tío no bebe mucho, come con moderación y se toma la vida con tranquilidad.
(mesurado)

d) En lugar de prestar atención a lo importante está ocupado con cosas inútiles.
(frívolo)

e) El público que asistió al estreno era muy heterogéneo; había artistas, políticos, jóvenes, viejos, gente de distintas nacionalidades...
(variopinto)

f) Es seguidor de ese equipo desde que nació y no se pierde ni uno solo de sus partidos.
(entusiasta)

51

a) rusado (rosado + usado) **(3)**

b) vanqueros (banqueros + vaqueros) **(4)**

c) gorrer (correr + gorro) **(5)**

d) nagranja (naranja + granja) **(1)**

e) telesférico (teleférico + esférico) **(6)**

f) algordón (algodón + gordo) **(2)**

52

a) Movimiento que hace el hombre al andar, levantando un pie, adelantándolo y volviéndolo a poner sobre el suelo: **paso**

Uva dulce y seca: **pasa**

b) Calzado que cubre sólo el pie y que tiene la suela de un material más duro que el resto: **zapato**

Pieza de un sistema de freno que roza contra la rueda o su eje para detener su movimiento: **zapata**

c) Hecho o acción voluntaria: **acto**

Documento en el que están escritos los asuntos tratados o acordados en una reunión: **acta**

d) Parte que queda de un todo: **resto**

Operación que consiste en quitar una cantidad de otra y averiguar la diferencia: **resta**

e) Serie de cosas de la misma especie ordenadas por el grado o intensidad de cierta cualidad o aspecto: **gama**

Animal mamífero rumiante de pelo rojo oscuro con pequeñas manchas blancas y cuernos en forma de pala: **gamo**

f) Periodo de tiempo en el que se debe hacer una cosa: **plazo**

Lugar espacioso dentro de una población al que van a parar varias calles: **plaza**

53

a) Que sufre disgusto o enfado: **enfadado**

b) Pieza de metal, generalmente redonda y con un relieve en cada cara, que sirve para comprar o pagar: **moneda**

c) Que provoca o siente una admiración o placer grande: **embelesado**

d) Que es muy malo; que no puede ser peor: **pésimo**

e) De la pasión, especialmente amorosa, o que tiene relación con ella: **pasional**

f) Contraer o llenarse de deudas: **endeudarse**

g) Permiso o autorización: **licencia**

h) Pérdida o falta del ánimo o de energía: **desaliento**

i) Modo de dirigir un asunto para lograr un fin determinado: **estrategia**

j) Que recibe palabras de admiración por parte de una persona que pretende conseguir un provecho: **halagado**

k) Dar grandes voces o gritos: **vociferar**

l) Que profesa un amor excesivo hacia sí mismo: **ególatra**

m) Conjunto de muchas cosas, especialmente de dinero: **suma**

n) Que ha perdido el sentido o la razón: **ofuscado**

ñ) Acción de cautivar o atraer la voluntad: **seducción**

La suerte no sonreía aquella noche a Félix de Acuña. Sus compañeros de partida parecían haber hecho un pacto con el diablo, y cada vez que apostaba una gran **suma** confiado en sus cartas, el dinero pasaba a engordar el bolsillo de sus rivales. Ante esta **pésima** fortuna otro jugador hubiera abandonado la reunión **enfadado,** pero Félix no era de los que se dejaban vencer por el **desaliento.** Este joven orgulloso y altanero, arrogante y pendenciero, conquistador de los corazones de cuantas damas encontraba a su paso, **ególatra** y sinvergüenza, no se vino abajo y, cuando vio que empezaba a **endeudarse,** pidió **licencia** para abandonar la mesa y, tras **vociferar** que volvería enseguida con más dinero, desapareció por la puerta.

La luna iluminaba la noche sevillana, pero la mente de Félix seguía sumida en tinieblas. Necesitaba al menos unas **monedas** para seguir apostando, pero ignoraba cómo conseguirlas. Absorto en sus pensamientos se encontró frente a una hermosa fachada que le resultaba familiar. ¡Claro —ahora recordaba—, es la casa de Inés de Peñaranda!

La dulce Inés había sido una más de las incautas jóvenes seducidas por el apuesto bribón. Podía recordarla paseando por los jardines, lanzándole miradas furtivas desde su ventana, sonrojándose **halagada** por sus cálidas palabras, **embelesada** por una sarta de mentiras fruto de una calculada **estrategia** de **seducción**, que Félix usaba con todas y cada una de sus conquistas. Pero todo esto que con otras terminaba con unas simples lágrimas al verse ultrajadas, tuvo en el caso de Inés un desenlace fatal, pues, rechazada por su amor y **ofuscado** el pensamiento, puso fin a su vida con un suicidio **pasional,** hacía ya cinco años de ello.

54

a) Conjunto de huesos de la cabeza: **calavera**

b) Cuerpo humano después de muerto: **restos**

c) Echarse sobre una superficie horizontal, especialmente a dormir: **tumbarse**

d) Respeto, atención y buen juicio al decir o hacer una cosa: **miramiento**

e) Que tiende a hacer o decir bromas o burlas: **burlón**

f) Hacer un ruido algunos cuerpos cuando se rozan, se doblan o se rompen: **crujir**

g) Que no gusta de gastar dinero; que intenta gastar lo menos posible: **tacaño**

h) Hablar bajo y produciendo un sonido continuado y suave: **susurrar**

i) Quitar con violencia: **arrancar**

j) Expresar con la voz el dolor o la pena que se siente: **quejarse**

k) Que se presenta o se realiza con mucha fuerza o energía: **intenso**

l) Lugar lleno de caminos cruzados del que es muy difícil salir: **laberinto**

m) Pared hecha con barras de hierro que se usa para limitar un espacio abierto: **verja**

n) Parte superior y posterior del cuello, donde se une con la cabeza: **nuca**

ñ) Que hace una cosa o se mueve de modo fácil, suelto y rápido; que es hábil: **ágil**

La visión de la casa de los Peñaranda trajo a la memoria de Félix todos aquellos recuerdos de tiempos pasados, y especialmente uno de ellos. La inocente Inés tenía un precioso anillo de oro y brillantes. Una idea asaltó la mente de Félix: posiblemente fuera enterrada con él puesto.

Tras atravesar un **laberinto** de calles llegó hasta el cementerio donde reposaban los restos de su difunta enamorada. Decidido y **ágil** escaló por el muro; una vez saltada la **verja,** se dirigió hacia la tumba de Inés y, sin más **miramientos,** la profanó. Al levantar la tapa pudo contemplar los **restos** de la desgraciada Inés. De su angelical rostro sólo permanecía la sonrisa de la **calavera,** no quedaba ni rastro de su rubia cabellera; lo único que permitió a Félix reconocerla fue la fabulosa joya que aún brillaba en uno de sus dedos. Trató de **arrancar** el valioso anillo, que la huesuda y **tacaña** mano parecía negarse a soltar. Con un pequeño cuchillo cortó el dedo y para despedirse **susurró burlón:** "Querida Inés, tú ya no lo necesitas".

De regreso a la partida la suerte de Félix cambió radicalmente. Tras apostar el preciado anillo recuperó buena parte de lo anteriormente perdido y, bien entrada la noche, decidió irse a dormir a su habitación. Antes de acostarse vació la bolsa con todas las monedas y estuvo un rato observando el anillo. Finalmente se lo puso y **se tumbó** en la cama. Quizá por la **intensa** noche vivida, quizá por el mucho vino bebido, lo cierto es que no tardó en quedarse dormido. De repente un frío aliento en su **nuca** le hizo despertarse, pudo oír un **crujir** de huesos y sintió un fuerte dolor, pero no tuvo tiempo de **quejarse.** Sus ojos medio cerrados aún le permitieron ver una figura esquelética que salía por la puerta. Un reguero de gotas rojas condujo su vista hasta su propia mano, de la que salía abundante sangre a la altura del dedo amputado.

55

a) No sabíamos dónde estaba el norte y no pudimos orientarnos porque nuestra **brújula** estaba rota.

b) Mercurio es el **planeta** más cercano al Sol.

c) Estaba muy gordo y el médico le impuso una **dieta** muy severa.

d) Una piara es un grupo de cerdos y una **jauría** un grupo de perros.

e) Escribir "vino" con "b" es una falta de **ortografía.**

f) No le gusta hablar en público; le da mucha **vergüenza** y se pone colorado.

56

a) Mi mejor amigo me denunció a la policía.
(traidor)

b) Hoy voy a ir a cenar ostras; no tengo dinero pero confío en pagarlas con la perla que encuentre en una de ellas.
(optimista)

c) Es muy reservado y nunca quiere hablar de nada con nadie.
(taciturno)

d) Tiene miedo hasta de su propia sombra.
(cobarde)

e) No es nada tacaño; siempre está invitando a todos sus amigos.
(espléndido)

f) No permite que nadie tenga una opinión distinta de la suya.
(intolerante)

57

a) El éxito no le duró mucho.
(efímero)

b) No parece que estés muy seguro.
(dubitativo)

c) El desayuno estaba delicioso pero era muy poca cantidad.
(escaso)

d) Este asunto tiene preferencia.
(prioritario)

e) Eso no es nada sencillo.
(complejo)

f) No hay duda de que es así.
(evidente)

58

a) Dar a conocer las verdaderas intenciones, sentimientos o hechos ocultos de una persona: **desenmascarar**

b) Que tiene una cubierta en el techo que puede ser plegada o recogida: **descapotable**

c) No estar de acuerdo con una cosa: **desaprobar**

d) Que habla u obra sin vergüenza ni respeto: **descarado**

e) Que no tiene nubes: **despejado**

f) Perder el sentido o el conocimiento: **desvanecerse**

g) Que explica unas cualidades o características: **descriptivo**

59

a) cantimplorar (cantimplora + implorar + cantar) **(3)**

b) quilomancia (kilo + quiromancia) **(4)**

c) socegado (sosegado + cegado) **(1)**

d) piésimo (pie + pésimo) **(6)**

e) iranía (ironía + ira) **(2)**

f) sopuertar (soportar + puerta) **(5)**

60

a) Echado sobre una superficie horizontal: **tumbado**

b) Que tiene sal o más sal de la necesaria: **salado**

c) Viajar o ir por el mar en un barco o nave: **navegar**

d) Que se mueve o se hace con una gran velocidad: **rápido**

e) Parte que queda de una cosa después de haberla consumido o de haber trabajado con ella: **restos**

f) Golpe dado con la mano cerrada: **puñetazo**

g) Persona que ha sufrido el hundimiento de la embarcación en la que viajaba: **náufrago**

h) Extensión de tierra que está rodeada de agua por todas partes: **isla**

i) Capacidad para sentir y comprender lo que ocurre: **conciencia**

j) Descender una nave aérea hasta parar en tierra firme: **aterrizar**

k) Inventar cosas o situaciones; crear ideas reales o falsas: **imaginar**

l) Pena o sufrimiento muy intenso; miedo que no tiene una causa conocida: **angustia**

m) Perder momentáneamente el conocimiento: **desvanecerse**

n) Que siente miedo: **aterrorizado**

ñ) Trozo de metal redondo o con forma de cilindro que se dispara con las armas de fuego: **bala**

o) Introducirse una cosa dentro de otra: **alojarse**

El menú que se anunciaba en la puerta del restaurante hizo que se detuviera. Paloma asada. Cuántos recuerdos le despertaba aquella comida. No lo dudó y entró para degustar aquel sabroso plato. Hacía ya más de seis meses de la terrible tragedia que le había sacudido. Aquel era el primer día que salía de casa desde el triste suceso.

Bernardo se llevó a la boca el preciado manjar, pero al saborearlo sintió como un **puñetazo** dentro de su cabeza, y por fin lo comprendió todo. Se levantó precipitadamente de la mesa y tras pagar al camarero con el primer billete que encontró en su bolsillo se dirigió **rápido** a su casa.

Su vida ya no tenía sentido y decidió terminarla de un disparo. La detonación sacudió su cabeza, y mientras la **bala** viajaba a **alojarse** en su cerebro todas las imágenes de su existencia cruzaron por su mente.

Recordó a Celia, su adorada esposa; su pasión por **navegar,** aquel último crucero en compañía de amigos íntimos. El barco tenía todos los lujos que se pudieran **imaginar,** pero por desgracia no contaba con la seguridad adecuada. Así, cuando la tempestad azotó la embarcación ésta se fue a pique, se hundió. Bernardo vio cómo algunos de sus amigos se agarraban desesperados a los **restos** del mobiliario del barco. Trató de divisar a Celia, pero el agua se le metía en los ojos y le entraba por la nariz dejándole un regusto **salado.** Luego **se desvaneció** y no recuperó la **conciencia** hasta tres días más tarde.

Al despertarse pudo contemplar a su mejor amigo, Pedro, que le estaba intentado refrescar con un pañuelo empapado en agua. "Tranquilo, Bernardo —le dijo—, no te levantes bruscamente; llevas varios días con fiebre y delirando, y creo que tienes un pie roto, reposa un poco." Pero Bernardo estaba alterado, no era fácil aceptar la situación de ser un **náufrago** en una **isla** perdida en mitad del océano." ¿Dónde está Celia?" —preguntó **aterrorizado** por la idea de perder a su esposa—. No ha aparecido; los demás estamos todos bien." Celia muerta; la **angustia** lo invadía. ¿Cómo podría vivir sin ella?

Pedro le acercó un pedazo de carne apenas cocinado en una sencilla hoguera. "Hemos podido cazar algunas palomas." Bernardo engulló el alimento y se sintió mejor. Durante otros tres días estuvo **tumbado** en el mismo lugar sin moverse y alimentado siempre con carne de paloma. Finalmente un avión los descubrió y, aunque no pudo **aterrizar,** avisó de su presencia y horas después fueron rescatados y devueltos a la civilización.

Bernardo poco a poco se fue recuperando hasta el día en que, sintiéndose ya plenamente repuesto, decidió salir a pasear por la ciudad y entrar a comer en aquel restaurante. Al meter en su boca el primer trozo de paloma pudo comprobar, para su desgracia, que aquella carne no tenía nada que ver con la que había tomado en la **isla.**

No le costó mucho atar cabos hasta llegar a la conclusión de que había sido alimentado con la carne de su propia esposa. Este descubrimiento lo atormentó hasta el punto de suicidarse.

61

b) Preocupar.

62

f) Suposición o juicio formado a partir de señales.

63

c) Persona que tiene invitados.

64

a) Protestar o mostrar enfado mediante gritos y sonidos graves hechos con la boca, especialmente un grupo de personas.

65

c) Que tiene mucho tiempo.

66

a) amanaza (amenaza + mano) (3)

b) buhoardilla (buho + ardilla + buhardilla) (2)

c) idieta (dieta + idiota) (6)

d) erraticida (errata + raticida) (1)

e) esqueso (escaso + queso) (4)

f) traidós (traidor + dos) (5)

67

J	H	P	F	N	A	V	E	G	A	R	U
E	O	R	T	Y	A	J	O	Y	U	I	R
N	I	B	U	N	I	F	A	M	I	A	O
C	A	R	A	V	A	N	A	N	T	T	P
D	A	C	Z	R	A	T	O	U	A	S	P
G	E	N	T	U	A	R	A	D	O	I	R
T	O	E	N	F	R	C	I	C	O	P	P
R	P	T	A	A	E	O	N	I	O	M	
A	T	Z	O	W	E	O	R	T	R	T	I
Ñ	A	T	Z	S	T	B	C	M	U	U	E
A	D	T	S	C	I	I	D	Z	R	A	G
S	E	R	E	M	O	L	Q	U	E	E	R

68

a) Más **vale** que **sobre** que no que falte.

b) Cada **palo** que aguante su **vela.**

c) No le duelen **prendas.**

d) Al que no quiere caldo, **taza** y **media.**

e) Del mar el **mero** y de la **tierra** el cordero.

f) Aunque la **mona** se vista **seda, mona** se queda.

g) Buscar una **aguja** en un pajar.